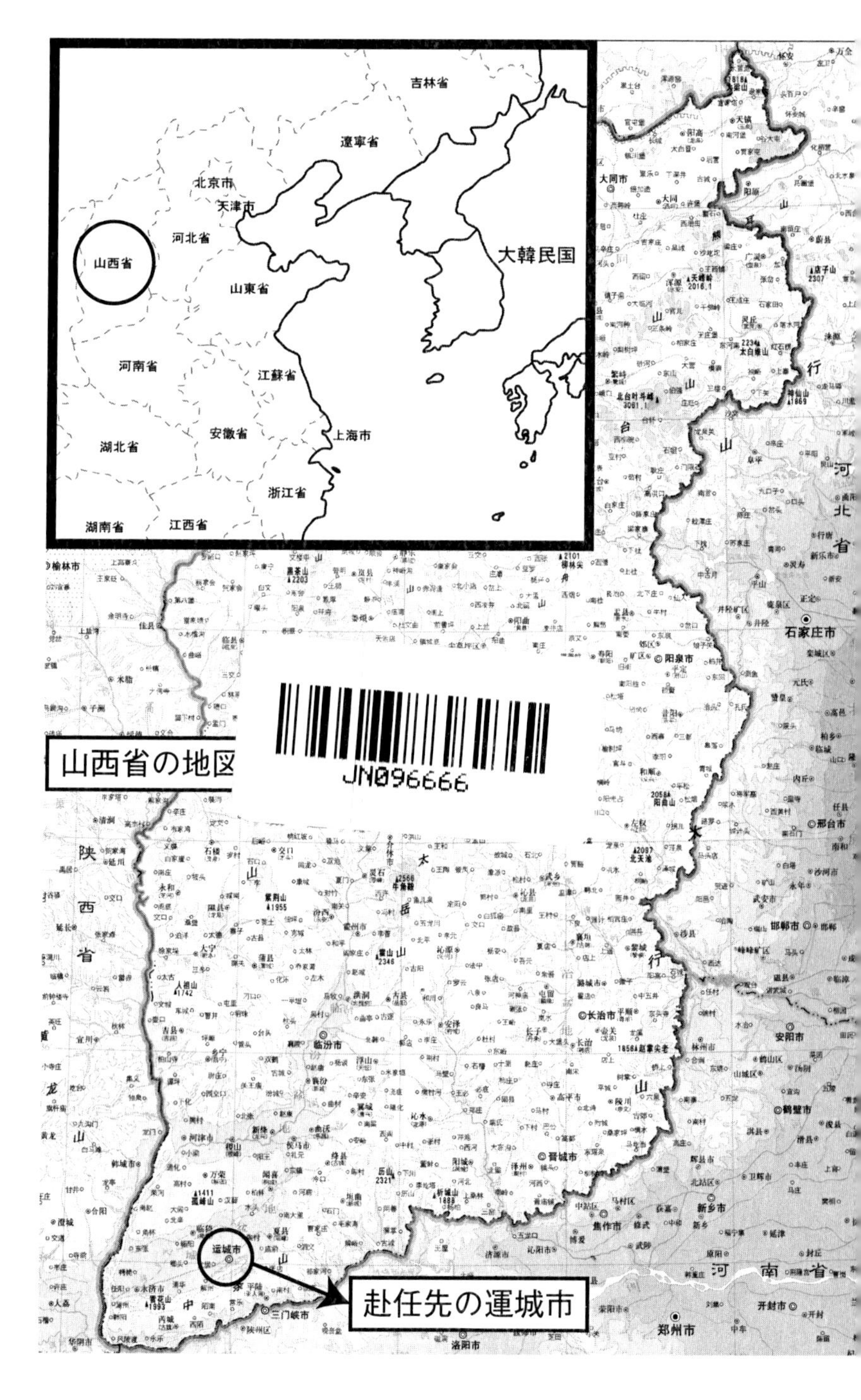

吉林省
遼寧省
北京市
天津市
河北省
山西省
大韓民国
山東省
河南省
江蘇省
安徽省
上海市
湖北省
浙江省
湖南省
江西省
山西省の地図
陕西省
河北省
河南省
大同市
阳泉市
石家庄市
邢台市
邯郸市
安阳市
长治市
临汾市
晋城市
运城市
三门峡市
洛阳市
郑州市
焦作市
新乡市
鹤壁市
开封市
赴任先の運城市

入郷随俗（ルーシャンスイスー）

山西省運城学院奮闘記

赴任した運城学院（銀海外語学校

故・宮寺一男先生に捧ぐ

入郷随俗（ルーシャンスイスー）　山西省運城学院奮闘記　（目次）

はじめに

中国への思いを強くしたのは、東村山市の小学校で教鞭をとっていた50歳の頃、一九九六年頃であったと思う。

山崎豊子さん原作の『大地の子』が日中共同制作でテレビドラマ化され、NHKで放映された。日本中で流行し、原作も読んで感動を覚えた時であり、60歳の定年まで残り10年、漠然と将来への考えを思い巡らせていた頃であった。

ある日、東洋大学の校友会（OB会）が発行する雑誌に、先輩にあたる宮寺さんの山西師範大学（中国・山西省臨汾市）での教師生活の経験が掲載されていた。この師範大学には、二十歳を過ぎた学生も多く在籍し、楽しく学んでいる様子が書かれていた。こういう世界もあるのかと目を見開く思いをしたのだった。さらに、朝日新聞掲載の「中国の旅」も読んでいたので関心も高まった。

宮寺さんは、多くの方からの強い推薦もあり、横浜市議として活躍された人である。そこで宮寺さんへ連絡をとったところ、「遊びに来い」と言われ、横浜市鶴見区のご自宅へ何度も訪ねているうちに、退職後の生き方の参考になった。

「先輩、俺もやりたくなったよ」

「口を利いてあげるよ」

宮寺さんの親身な対応に背中を押された。その後、神保町の書店街に行き、山西省などを調べたりしていた。

「どうせなら、早く中国に行くべきだ」と誘われた。宮寺さんはこの当時、中国で教鞭をとっていたが、一時帰国中であった。

何度か北京にも行き、宮寺さんの顔で学校を紹介してもらうことができた。意を決して58歳で早期退職し、中国で教師生活を送る動機になった。

没電事情のひとコマ

　2005年9月、中国へ赴任した初めの頃だった。

　学校があてがってくれた宿舎は、広いバス通りを隔てた民間の5階建てマンションだった。私の部屋は2階にあり、ルームメイトは一緒に採用されたニュージーランドからの青年教師・ロバート君。彼はとても開放的な好青年。

　私は生まれて初めてのルームシェア。部屋は2部屋あり、共通のダイニングと窮屈さもさして気にならなかった。

　ある日のことだった。夕食の準備も整ったところを待っていたかのように、パチッ！　停電（メイティエン）！　タイミングがいいな、まったくツイている。

　私たちは食卓にローソクを用意し、真っ暗闇な中、こうこうと輝くローソクの灯をしんみり見つめながら、

「サイレントナイト　ホーリーナイト　オールイズ　カム……」

まったく季節外れではあるのだが、どちらからともなく口ずさんだ。これも思い出すたびに懐かしい夜のひとコマである。

日中、表通りを歩いていると、軒を連ねる店先に発電機が置かれていた。赴任早々は不明だったが、少し慣れた頃、今夜はこの地域は停電かも……、といった勘が働くようになった。まして、それらの発動機が大きな音をたてて始動していれば当然のことであった。そんな時に急いで帰宅すると、決まって停電していた。

ロバート君。元気にしているか？

停電で一番困る時間帯は夜8時過ぎあたりからだ。夕食を済ませても、翌日の授業の準備ができないのだ。

そんな時は早々と9時過ぎにはベッドに入る。そして、明朝3時頃

停電を"予感"させる発電機

に起床して仕事をすることにした。

それでもなお困ったことは、朝の3時、4時でも電気が復旧していないことだった。そんな綱渡りのような暮らしも体験した。

【コラム①】 初心を胸に学生たちとともに

2005年8月、山西省運城空港に降り立った。中国との出会いは50歳を目前にしたある日、手にした一冊の本がきっかけだった。

本多勝一氏の『中国の旅』(朝日文庫・一九八一年)。本書こそが今思えば、私の人生後半を堅くゆるぎないものにしてくれた。「中国のために、何かをしよう」「日本と中国の友好発展こそ、アジアの基(もとい)」。そうして行き着いたのが、日本語教師の仕事だった。

運城市は北京の南西920キロ、汽車で16時間半、飛行機で1時間半のところにある地方都市。60キロほど行くと黄河がゆったりと流れている。また、ここは『三国志演義』の英雄である関羽の出生地でもある。そう遠くない過去、この街にも旧日本軍が進駐した。市内のそこここに、今でもそうした時代の痕跡を見ることがある。

時々、夜行列車を利用する。中でも一日一本の北京・運城間の長距離列車の常連になると、もう列車の乗務員とも朋友（ポンヨウ）だ。ある時、北京から運城に戻る折、車内に日記を置き忘れたことがあった。でも、それが奇跡的に手元に戻った。多分、顔見知りの乗務員が「これは、あの日本人に違いない」と判断して、運城駅で保管してくれたに違いない。中国で生活する私には、やっぱり夜行列車が心休まるし、旅情やロマンを掻き立てられる。

さる年、また、学生の中には、卒業後に日本に留学する人もいる。数年前、卒業生に成田まで付き添ったことがあった。学生はまだ日本語が十分ではなく、不安いっぱいだったことだろう。成田税関の係官は、そんな学生の気持ちを推し量り、パスポートを返しながら、「勉強をがんばって」と笑顔で声をかけてくれたそうだ。どんなに励まされたことか。その後、学生は学業を終え、無事卒業している。

また、別の学生からこんな手紙をもらったことがあった。

「私は、初めて先生のお宅を訪ねた時のことをはっきり覚えてます。その時、私はとても緊張して話したいことも、全部忘れてしまいました。なぜならば、私は日本人は厳しいことと思っていました。でもたずねた後で、日本人についての印象はまったく変わりました。先生の話し方や態度や仕事についてのことから、そう思いました。それから日本人と日本語の興味が深くなりました」（原文のまま、一部抜粋）

これからも、青雲の大志に燃え、日本と中国の架け橋たらんと日夜勉強に励む学生たち、好意的で親しみ深い市民のみなさんと交わり、わが初心をさらに実り豊かにしていきたいと思って過ごしている。（人民中国２０１２年８月より）

街頭カラオケ考

二〇〇五年前後、初めて運城（ユンチョン）（山西省）で暮らした頃だ。カラオケ店が雨後の筍のようにでき始めた。店構えも立派に見えた。

赴任した先は官立の大学で、私は招へいされた立場であった。給料は現金で手渡しされたが、なんと英語教師は私のほぼ倍であった（英語教育に力を入れていたのだろう）。こういう俸給生活者としては、立派な屋内カラオケ店は容易に足の向けられる場所ではないと感じられた。そこで私が通ったカラオケ店は、街頭に設備がある店であった。

そこは、広くてにぎやかな運城駅から南に三〇〇メートルも下がった5差路の一隅にあった。駅から10分ほどで、私が気になる姑娘（クーニャン）が経営していた。

大きなアンプと少々グロテスクとも思える古びたスピーカーを備え、夕暮れの午後7時頃から開店する。アンプの前には木製いすやパイプいすを無造作に並べ、客が10人ほど座ればすぐにいっぱいになった。

私は授業の合間をぬって、時折学生を誘いその店へ行った。開店早々よりも8時頃に顔を出した方がノリがよい。先客もなんとなくリラックスして聴いてくれるので、こちらもすぐマイクを握りやすい。店は交通量の多い目抜き通りに面し、おのずとボリュームも上がる。すると、通りを行き交う人々が足を止める。この辺りでは聞きなれない日本語の歌。そう、街頭カラオケとは私のネーミングなのだ。

週末、歌好きな学生を誘ってその店に押し掛ける。女性オーナーと顔見知りになると、彼女に目配せしただけで『北国の春』をセットしてくれる。やがてそれは『雪国』、『昴』と……。

学生と一緒なら、それらに『四季の歌』が加わる。いずれも代金は一曲あたり一元（日本円で15～16円）なのだ。日頃、授業で教えている歌なので、学生たちも率先してマイク2本を手に引き寄せる。

「春を愛する人は……」

見物客も大勢いて気分はスター？（左・筆者）

ノリがよく、すぐに歌い出す学生たちに周囲から驚異のまなざしが向けられ、やがて手拍子に変わっていく。私はこうして自らのストレス解消に街頭カラオケに行った。

しばらく通うと、常連さんとも親しくなった。互いに拍手や握手を交わし、「好久不見了（ハオチュウプーチェンラ）」（お久しぶり）と挨拶をかわした。相手も相手で、持ち歌が決まっている。そこで私は相手にリクエストをする。『美麗的神話』や『你是我的（ニーシーウォーダ）メイクイ花』は、中国ではその頃のスタンダードナンバーであった。声を張り上げていると聴衆は足を止める。そこで曲の間奏時、私はあえてこう言う。

「運城のみなさん、こんばんは。ますます日本と中国は仲良くしていきましょう」と。

同席している学生がこれを中国語に訳してくれる。こうしておよそ1時間あまりを過ごして帰宅する。学生たちの表情も少し紅潮していた。

尊崇すべき暖房施設

7年余に及ぶ現地生活は、思い返せば不便の日々だった。とにかく、ライフラインを中心に、ここもあそこもといった具合に不便この上なかった。けれども、そうした中でも日本ではお目にかかれなかったすぐれものに、暖房施設と飲水器が挙げられる。

まずは暖房である。毎年、11月15日から3月15日の間、各戸にスチーム暖房が配給される。経費は学校負担なので詳しく知る由もなかったが、とにかく快適だった。家屋そのものがブロック壁づくりなので、気密性は万全だった。私はその期間、ずっと半袖シャツで過ごした。つまり暑すぎる熱量供給だった。屋内が暑すぎても調節つまみが見当たらず、窓という窓を開け放たねばならないというぜいたくな悩みもあった。

この暖房供給は供給期間が極めて厳格であった。10月はまだしも、11月上旬になると寒さもだんだん増してくる。それでも一向に暖房はやって来ない。そこで、私はよく市内の暖房の入っているデパートに用もないにもかかわらず出かけたものだ。スーパーへも然り。そうした知恵は3月15日過ぎの冷寒期にも活かした。華北地方（中国華北地域）の冬、雪は年1回あるかないかだったが、凍（しば）れるほどの空気の乾燥がひどかった。

もう一方の優れものは飲水器（インスイチー）だった。今でこそ日本にも設置されているのを時々見かける。これは20リットルほど入る水桶を逆さにして、飲水器につなぐというものだ。そうしておけば常時冷水であれ、湯であれ、自在に飲めるというものである。日本式に言えば、いつでも冷水、湯水がポットに準備されているといった趣きである。便利さこの上なしでとても重宝した。急な来客でも湯茶の接待は実に簡便である。

私はこうした様々な点で、足らざるものを覚えた現地生活の中、これら暖房と飲水器だけに限っては、尊崇してやまない思いである。

トイレ考

中国のトイレ事情については、中国事情にいささかのご関心をお持ちのみなさんは、なにかしらの情報をお持ちのことだと思う。私にももちろん、鮮烈な思い出がある。以下、思いつくままに、二、三ご紹介する。

その1、初めての中国ツアー旅行の南京駅での経験だ。南京駅で乗り換えのホームで気軽に用を足そうとトイレにはいりしゃがんだところ、駅の利用客から丸見え状態。出すものも不如意のまま、とりあえず終えたふりをしてグループのもとへ戻った。

その2、勤務先の学校のトイレでの経験だ。大をするトイレの個室のドアがないのである。つまり丸見えということだ。

驚いていると、そこには先着の学生が大をするスタイルでしゃがみ、大声で電話をしていた。トイレ内ゆえに響きわたる声。ただでさえ聞きたくもない他人の会話。赴任間もない経験ということもあり、その衝撃度は読者のみなさんに想像にお任せしたい。なお、勤務先の運城学院の名誉のために報告するが、私が赴任した3、4年後には市郊外に新キャンパスを開設した。そこではトイレも立派になり、個別ドアも設置されていた。

その3は、少しシリアスな経験を紹介したいと思う。いささか個人的な感懐になるが……。

それは赴任してから2年後の冬休みのことだった。山西省内の学生の故郷を訪問した時だった。省都・太原市からバスで2時間ほど離れた純農村部。一般的にはトイレは広い屋敷の外にしつらえてある。私が子どもの頃もトイレは屋外の庭の片隅にあったものだ。

ここでは母屋を出て、母屋に接したすぐ裏にトイレがあった。それまでの南京や運城での経験とちがい、農村部ゆえ周囲は人家が離れていて、安心して用が足せた。空には満月が煌々と輝いていた。その時、しばし私は立ち尽くし、こう思った……。

マルで囲ったところがトイレ。不浄という考えのもと、外に設置

山西省のこの辺りには、かの日本軍が大挙したことだろう。兵士はこの学生の家のような粗末なトイレで用を足したことだろう。そして遠く日本に残してきた家族や大事な人たちを偲んだことだろう。なぜかというと、皇軍の兵士の多くは農村から徴兵された人が大方だったのではなかろうかと思うからだ。

どこまでも続く小麦畑

価値観逆転、麺どころ山西省

　山西省は中国でもトップクラスの小麦の産地。赴任中、週末休暇の二日間、省内の学生の故郷に幾度となくお邪魔した。学生の家はほとんどが農業を生計の中心にしていた。職場と住まいへの往来の時、広い農村地域の道路の片側には、天日干しの小麦が広げられていたものだ。5月頃は運城郊外に出かけると、ずっと遠くの山すそまで続く麦秋（ばくしゅう）の景色に目をうばわれた。

　市内のレストランには、麺専門店が

絶品「蘭州牛肉麺」をつくる職人たち

たくさん軒を連ねている。学生たちはヌードルと気安く呼んでいたが、やはりここは麺（ミエン）と言った方が通りがいい。メニューとしては、ゆでた麺になにをかけるか、のせるかによってちがってくる。麺のコシや味は一流のうまさがあった。もっとも、かくいう私は小麦県である群馬に生を享け、生来うどんにそっぽを向けて育ってきた。遺伝的なものを受けたのか、うどんは大嫌いなのだ。

幼少時、母が台所でうどん粉をこねはじめると、外で遊んできた私は一刻も早く布団にもぐり、寝たふりをするようなうどん嫌いな子どもであった。

　そんな私だったが、ある時、運城で学校前のレストランに入った。そこはイスラム料理の店だった。名物の「蘭州牛肉麺（ランチョウニュロウミエン）」という看板店だった。何気なく注文した「蘭州牛肉麺　5元・約80円」を食すと、その麺のコシの深さに正直ビックリしてしまったのだ。学校前にこれほどうまいうどんがあるとは……。私は以後よくその店に通った。なにより、客を店内に入れて注文を聞いてから麺打ちが店先で始まるのだ。これで麺がまずかろうはずがない。

　また、小麦を原料とする料理は、ほかにもたくさんあった。懐かしい小麦どころ山西麺は、思い出すだけで心が満たされてくる。

【コラム②】　我が心象風景　山西省・運城

運城の名前が私の心を占めたのは、先輩の宮寺一男先生との交流以後のことだ。それまでの私は、あたかも最初の勤務地が昭島市立拝島第二小学校であったように、慌てて近くの書店に駆け込み、東京の多摩地区の詳細地図を買い込んだ。中国の地図を求めて神保町の古書店街を探し回ったようなものだった。そもそも、「さんせいしょう・うんじょう」というのはどの辺りにあるんだ、という感じであった。

現在、手元にある最新の紹介文にはこのように紹介されている。

「山西省南西部に位置する運城市は、山西・陝西・河南の3省が隣接する地域にあり、黄河流域の【ゴールデントライアングル】エリアを占めている。黄河流域は中華民族と中華文明の重要な発祥地であるとともに、中華農耕文

運城市民の自慢、関羽像。運城駅前に堂々とそびえ立つ（右・筆者）

明の重要な発祥地でもある。恵まれた地理的条件が運城の4000年余りの農耕文明という悠久の歴史を生み出した。また、運城は三国時代名将・関羽の古里でもある……云々」（人民中国誌・2021年4月号・豊作祭の太鼓の音が響く　塩湖広がる関羽誕生の地より引用）

先の文中にある塩湖とは、昔、塩を産出し、地域産業の経済を潤した運城市の他地域にない観光の目玉となっている。

さらに、先の中国誌から引くと、

赴任した運城学院・銀海外語学校

「……運城は歴史上、【塩運の城】と呼ばれる塩で栄えた町だ。運城市の南部にある塩湖は周囲１３２平方キロ、人類による開発・利用が最も早い内陸塩湖の一つで、すでに４０００年余りの開発の歴史があり、中国歴代王朝はこれを採っても尽きず、使っても使いきれなく湧き続ける財源とみなしていた……」

　塩湖へは休日に自転車を走らせて、学生たちを誘っては息抜きによく行ったものだった。そして行くたびに様々な感慨がよぎったものだった。塩を求めた日中戦争（そうか、日本軍は山西のこんな奥地まで進駐してきたのか市内に戦跡を見たこともあった）。

今でこそ数少ない観光地として賑わっているが……。数ある機会の中で、一度塩湖の中にあった温泉地に行ったことがある。そこは日本風に言えば、スパのようなところだった。利用者はみんな水着をつけ、およそ温泉地の気分がせず、感興も覚えず、かえってがっかりしたのだった。

リンゴのよい香りに包まれた農園

週末のリンゴもぎ

山西省の小麦を原料とした料理は中国国内でも名を馳せているが、リンゴの産地としての運城もまた忘れがたいものと言えよう。

同僚の英語教師の実家へは、市内から車で1時間ほどで行けた。週末によく妻帯同でおじゃました。市周辺の13県ではリンゴづくりがとても盛んだった。妻の実家の群馬沼田市も県内では盛んな地方である。運城周辺出身の学生の故郷へも、最盛期の10月下旬頃にりんごもぎの手伝いに行ったものだ。

りんごの木は背が高いため、脚立に乗ってもぐ。種類は「ふじ」が中心だった。なんでも、山西省に青森県の農民が栽培法を伝授したそうだ。ここにも日本の技術が立派に活かされていると聞き、うれしくなったことを覚えている。

その帰途、学生のお父さんが重くて持ち帰れないほどのリンゴを持たせてくれた。近所の人から車を手配して、宿舎の学校の前まで送ってくれたことも懐かしく思い出される。

世界遺産「平遥古城」の魅力

広大な中国には、世界遺産と名のついたものが55件（2019年当時、日本は23件）も登録されている。私は特に歴史的遺産に興味があり、居住地の山西省内にある施設を見つけて、しばしば同僚と出かけたりしていた。省都太原（タイユアン）の南に位置する平遥（ピンヤオ）古城へは在職中に3度も出かけた。初回は1人、2度目は学生の帰省の折、3度目は妻と2人。季節は春、夏、3度目は冬だった。

印象深いのは、二度目に行った5月の五（ウー）・一（イー）休暇（メーデー休暇）の三泊四日である。学生の家は平遥城壁の近くという。クラスメート4人と同僚の教師3人の大所帯だった。五・一休暇で列車内は帰省する学生や家族連れで立錐の余地もない。とにかく平遥までの数時間を乗車したが最後、身動きが取れないほどだった。帰りの話になるが、平遥駅ではホームで駅員が乗客の尻を蹴り上げている光景に出くわして唖然とした。日本では、通勤ラッシュ時に駅員が

雪に覆われた平遥古城も風情があってよい

乗客を詰め込む姿を目にするが、そのレベルがちがう。

その日、平遥駅に着くと、学生のお父さんが車で迎えに来てくれた。彼は地元の行政府の役人らしく、部下らしい運転手をしたがえていた。こうした光景は、この国ではごく普通のことだった。以前にも、別の機会では、学生の親が警察官ということで、パトカーに乗って移動したこともあった。

その後、昼食はそのお父さんが予約しておいてくれた飲食店に行った。ここでの食卓は、平遥名物であ

ひと部屋毎にドアの装飾がちがって美しい

る「平遥牛肉」が並んだ。運城でも以前にスーパーで試食したことを思い出した。要するに牛肉の燻製なのだ。だが、ここでいただいたものは牛肉が極めて新鮮で歯ごたえがよく、これぞ平遥牛肉といったものの味わいで、しみじみ平遥にやって来た思いに浸ることができた。

夜の宿は平遥古城近くで、ホテルの窓から見た城壁の夜景が幻想的で忘れがたい。古城内のいくつかの明・清時代の史跡を見てまわり、現代中国の一般的な市民の暮しも垣間みることができた。鶏や犬の遠吠えがど

平遥駅について学生のお父さんに迎えられた

こからともなく聞えてきたり、のんびりとしていた。

かたや、城内のメインストリートの両側は、外来客目当てのやかましい商戦が繰り広げられていた。日本の観光地とさしてちがわない。かえってしつこいほどだ。

こうして滞在中の夜は、昼賑わった通りを学生たちと集団であるいた。人力車にも乗った。通りとは別に、明清時代に金融で栄えたという平遥の街は、世界遺産があるとは言え、夜は静まり返っていた。

この平遥行では、今は亡き韓国語科の

雪が積もる平遥も趣き深い

全老師も同道していたので、尚いっそう印象深いものであった。

妻帯同の3度目の平遥。11月、冬の始まりの頃だった。前夜からの雪で、観光客は途絶えた。私は雪の平遥が念願だったので、この3回目の平遥は、2度目とは違って、いっそう忘れがたいものになった。

カンニング考

どこの国にも不正とわかっていても、ついついやってしまうことはあるものだ。ここ中国でも、一定のインテリ層とも思える大学の教室で頻繁に起こっていた。赴任1年目の期末試験。律儀で礼儀のある学生たちなので、私は安心していたのではあるが……、まさか……。

不正を発見した時のショックや衝撃にあぜんとさせられた。その日、まず試験開始前に次の注意事項を話した。

カンニングは正しくないこと。自分の力で問題にあたりなさい。学生たちは神妙な顔をしていたが……。

試験開始後20分もすると、あちらでもこちらでも予備の紙片の片隅を切り離し、それに解答を書き込み、ご丁寧にクルクルと小さく丸めて何気ない表情で隣席の学生にまわしていた。はたまた、自分のテスト用紙を後ろの友人に見

日本語教師として、奮闘中の筆者

えやすいように、わざわざ自分の体を左右いずれかによじった格好をしたり……。それはそれはいずれも実に巧妙なのだ。監督者の私には、その涙ぐましいまでの友情あふれる所作には感心してしまった。

試験期間中、そのあまりの頻繁さに、同僚の先生にたずねたことがあった。彼曰く、

「私は小学生の頃、クラスメートに正しい答えを教えてあげるように、担任の先生から頼まれたことがあった」

さらに彼は、

「そうやってクラス全体の成績が上が

ると、担任の評価が上がり、ほめられた」

と、自身の遠い体験を話してくれたことがあった。長年、日本で教師生活を送ってきた私にとっては驚きの〝証言〟だった。

つまり、この国にあっては、カンニング行為自体が一律に不正とは決められず、一定の価値や意味合いがあるということがわかったような気がした。

その後のテストでも、このショッキングなカンニング行為はどのクラスでも見られ、決して減ることはなかった。参考書やテキスト持ち込み不可である試験でもそれらは守られなかった。

歯止めの効かぬこうした不正行為は、どこの国でも永遠不滅なのかもしれないと、半ばあきらめの心境でその後はやり過ごしたものだ。

自転車講習会

赴任しておよそ3年が経った一〇月の国慶節休暇中の3日間、学生たちに自転車の乗り方講習会を校内で行なった。学校内での雑談中、ある学生が「私は今まで自転車に乗ったことがありません」と話したことから企画化された。

この学生たちの年代がまさか自転車に乗れないなんて、私には想像もできなかった。その年の国慶節休暇、私は特に外出の計画や予定もなく、幸い学生たちも帰省しないという。それではこの休暇中に集中的に練習して、自転車に乗ってしまおうということになった。

講習生は女子の3人。いずれも山西省の高原地域出身。小さい頃から、家の周囲には坂道が多く、自転車に触れる機会は皆無、乗って利用する習慣や必要性がなかったそうだ。それはそうだろう。自転車を坂道で行き来するということは、大変な労力を要する。

つまり、学生たちは小さい頃から自転車が生活上の必需品ではなかったことなのだろう。そんなことを事前に話していたので、その動機づけとしてますます、自転車講習会の必然性がはっきりしてきた。

さて、講習会初日の朝。国慶節休暇中の広い大学のグラウンドには人影もなく、事前にキャンパス内の自転車屋から借り上げていた中古車3台を持ち出して集合した。私は講師然とし、留意点として自転車が倒れないことの不思議さ、遠くまで移動できる便利さ、自分が日本で小学校に入学する前までに乗れたことなどを語って聞かせた。言わば動機づけだ。

講習会は3日間の予定だった。20歳直前の彼女たちの必死な姿は、悲壮にさえ見えた。毎朝7時に集合し、講習はおよそ3時間余。誰にも邪魔されないだだっ広いグランドで周回を繰り返し、繰り返し反復した。少しずつ学生たちの瞳が輝いてきているのが見てとれた。

こうして3日目、全員どうにか倒れずに前に進めるようになった。広いグラウンドを何周も周回できる生徒もいた。それぞれが能力を発揮して私も心底う

彼女たちの努力は立派（左・筆者）

れしかった。3日目の午後、キャンパス内の学生食堂で講習会の打ち上げをし、そろって四人で祝杯を挙げたのは言うまでもない。

老公と老婆

初めに勤めた官立の銀海外語学院で3年ほど経った頃のことである（のちに系列の運城学院大学へ転任）。3年生の授業中のことであった。ここでは20歳位の生徒や浪人生もいた。現役の生徒と浪人生が混在するシステムは今でもわからないのだが。

その日、私はいつものように休憩に入った。10分の休憩時には決まって休憩室へ行き、同僚との談笑に興じるのを楽しんだ。それは今考えれば、貴重な交流タイムであった。市内のうまい店の情報や流行の服飾の話題など、実に楽しいひと時であった。そんな時、中国人の同僚に休憩室に張られた世界地図を指さして「君の故郷はどこ?」とたずねられたものだった。

そうして休憩が終わり、教室に戻って室内を見渡したあと、最後列に男女のカップルが目にはいった（おかしいな、その席は休憩に入る前は、王君が一人で座っていたはずなのだが……)。

どうもクラス全体の雰囲気から、公認のカップルらしい。私は臆せず学生たちにたずねた。

「王君の隣りの人は?」

即座に学生たちは、

「老婆(ラオポア)(彼女)です」

という答えが返ってきた。

「へえ、王君の彼女、そうですか」

そこで私は、すかさず最近覚えたての老婆を言ってみた。

「じゃあ、王君はなんというのですか?」

学生はいっせいに、

「男朋友(ナンポンヨウ)(ボーイフレンド)」

と、大きな声で教えてくれた。このことがあって以来、「老公(ラオコン)・老婆」は、そのクラスでは流行語になったのだった。

キャンパス内の学生食堂で、素敵な学生たちに囲まれて

先生のお母さんはブンカです

ある日の授業で手紙文の指導をした。私は参考に、日本の母からの手紙を紹介した（その頃、母はよく手紙をくれた）。

学生たちは私の母ということに大変な関心を示したようだった。その休憩時、教室の前の席の学生が2、3人寄ってきて、改めて母の手紙を手に取ってまじまじと文字を見つめていた。その時、一人の学生が「先生のお母さんは文化・

ですね」と言った。

文化？　しばらくたってから、その意味がようやく理解できた。「ぶんか・文化・教養」といった意味らしいのだ。私は、どうしてそう考えついたのかを当人にたずねた。すると彼女は次のように記してくれた。

彼女の祖母は、70代で現在は故郷にいるという。帰省するといつもやさしく迎えてくれる。そうした祖母を学生は大変尊敬しているともいう。けれど、彼女の祖母はいまだかつて文字の読み書きができないというのだ。故郷の祖母と比べれば、先生のお母さんは日本から自分で手紙を中国に送ってきた、そのこと自体がおどろきというのだ。いわゆる文化人だというわけだ。日本社会の市民の文化教育レベルというものに改めて思い至ったわけである。

【コラム③】母への想い

子どもの頃、よく中国の話を聞かされた。それは若い未婚の母が中国で経験した思い出話で、繰り返し繰り返し聞かされた。それは、母が近所の親戚のお子さんの乳母役として随行した折の大陸中国での見聞の話だった。

なにしろ話は、下関から関釜（かんぷ）船に乗って韓国に渡り、朝鮮半島を北上して中国に入り、ハルピンを通過してチチハルまで列車で移動したという。このコースの話は何度耳にしたことだろう。満州の落日の話をいつもいつも聞かされた。

チチハル市内を行く時、周囲から中国人の会話が聞こえてきたという。それは（マーチョ・マーチョ）という言葉がたくさん耳にはいってきたという。それはさぞ母にとっては聞きなれない異国の言葉だったのだろう。もし

故郷の桜と母

私だったら、それは日本で中国語を学習してきた聞きなれた単語として違和感なく理解したことだろう。「それは日本語では、馬車という意味だよ……」と。

その後、母が歩んだ中国の話の詳しいことはついぞ聞かなかったが、その後、私は厳冬のハルピンを二度訪ねている。札幌の雪祭りを想像しての旅だったが、もう母はいない。もっともっと聞いておくのだった。その頃は、ただ漠然とくり言を聞いていただけだった。そして、いつの日か母を連れて中国東北地方を旅したいと念願していたのだが……。

日中友好の証し（軍事訓練の夕べ）

『軍事訓練』とはいきなり強烈すぎる言葉ではなかろうか？　中国では大学の新入生に課せられるカリキュラムである。

大学に入学した新学期である9月の1か月間は授業がない。広い国土、各地からの学生にはまず、キャンパス内の宿舎（寮）があてがわれる。この点、日本のようにアパート探しの苦労は皆無だ。つまり全寮制なのだ。国立、官立（省立）問わず全てに寮が用意されている。

入寮して間もなく、軍事訓練が始まる。

朝8時頃から夕方6時頃までキャンパス内の広いグランドで行なわれる。彼ら新入生は帽子、上衣、ズボンまで迷彩服をまとい、少々の雨でも太陽の暑さもものともせずに終日、整列、行進訓練が繰り広げられていた。

「イー・アル・イー」（1・2・1）を繰り返し、繰り返し訓練を受ける。無論、女学生も含まれる。彼らの指揮官もみな若く、所轄の軍区（この場合は運城軍区）の赤い肩章をつけている。学生たちとさして年齢も変わらず25、26歳のようである。

学部毎に練習日程が組まれているらしく、そうした訓練は2週間ずつのようだ。その2週間の間、昼食時間を除いてずっと同じような、メニュー（隊列行進）を繰り返していた。

授業のない9月の初め、時折グランドに見に行った。学部によっては、男女比に大きなちがいがあるのだが、一見、どの学部の訓練かも区別ができないほどにピシッときめていた。練習初期はやや軍列行進も不揃い気味だが、10日も過ぎると様になって一糸乱れぬものとなっている。訓練とは恐ろしいものである。

ある夕方、私は同僚の女教師と散歩がてらにグランドへ行ってみると、訓練グループの修了式が行なわれているようだった。学生たちはグランドに腰を下ろしており、広いグラウンドの中央の演台の上から、若い指揮官が代わるがわ

新入学生は毎日訓練。日本では考えられない

る講評をしていた。学生たちは神妙な顔をして聞き入っていた。

　私たちもしばらく聞いていたのだが、突然、同僚は知り合いらしい指揮官のところへ耳打ちをしにいった。なんだろうと思っていると、

「センセイ、もしよかったら学生たちに一言、メッセージを」

　いやはや、こうした時、へたに断らないのが私なんです、内心、待ってました、それじゃあといったあんばいで、私はスタスタと演台の中央に進み出た。同僚もそばに来て、私の通訳役をしてくれた。

「みなさん、訓練おつかれさまでした。それでは、みなさんに日本の歌を歌ってさしあげま

しょう」

私はマイクを握り、太陽が傾き、目前の学生の顔もよく見えない中で『ふるさと』を朗唱した。

あとにも先にも、貴重な軍事訓練の閉講式で余興で歌を歌った人はおそらくいないであろうと思った次第である。これも日中友好の証しとしてお許しいただけるのではないだろうかと。

教師節のすばらしさ

毎年、9月10日は教師節（ティーチャーズデー）となっている。これは中国での伝統的なメモリアルデーらしい。日頃お世話になっている先生に感謝の気持ちを表す習わしらしい。

9月と言えば、新学期早々であり、赴任の頃は少しビックリしたことを覚えている。なにしろ日本にはない習慣なのだ。記念日前後ともなると、CCTV（中国中央テレビジョン）では全国の優秀な教師の紹介を連日のように特集していた。先生に対する日頃からの尊敬の念や敬愛を表すこの日、私の学生たちとて例外ではなかった。

教師節が休日や休講日だったりして学校に出勤していない時には、クラスの代表が私の部屋までやって来てくれたこともあった。もちろん授業日には、教室で授業開始前に代表がクラス総意のプレゼントを持ってくるのだ。それは時

生徒への感謝とともに、授業の熱も上がる

に文房具だったり、ぬいぐるみだったり、お花だったり。それは明らかに、「教師節快楽！　先生の日おめでとうございます。これからもよろしく！　先生、健康でお元気で」といったメモも添えてくれる。

そうした時、私は日本で過ごしてきた教師生活を振り返ることが多かった。はたして、日本ではどうだったろうか？　こうして目の前で中国の学生たちに祝福されることのありがたさ、かたじけなさに思い至ることが多かった。

年度によっては、この日前後の休日に、学校や市政府として校長招待の食事会が催されることもあった。私たち外国籍の教師たちが、学校周辺のいつもとは少しちがった上級のレストランでご相伴にあずかるのだ。宴席では、日頃の勤務についいて感謝の掛け声のもと、幾度ともなく「カンペイ」が発せられる。帰りには、学校から大きな包みに入った月餅をいただいて帰ったものだった。

寅さんと若者の共感

すでに日本では古典的名作映画とも言うべきは、ご存じ『男はつらいよ』シリーズ。全48作をすべて見てきた私は、いつか日本の伝統的家族を授業で紹介したいと思っていた。それが思いがけないきっかけで訪れた。

シリーズ第42作『男はつらいよ　ぼくの伯父さん』。マドンナは後藤久美子さん。後藤久美子扮する高校生の泉。高校の後輩であった泉を追って寅さんの甥、満男が九州まで会いに行くストーリー。満男はその時、浪人生。

私の学生の中にも浪人生活の末、入学してきた人も数人いた。年齢的にも満男世代の学生たち。そうした諸々の条件がフィットしたのであろうか。画面に見入る学生たちは、じっとしたまま身動きせずしていた。もちろん、中国語の字幕はなく、すべて日本語での上映だった。

すべての言葉はわからずとも、満男や泉に仮託しているのだろうか。私はそ

字幕もなく、寅さんに惹きつけられる生徒たち

んな光景を教室の後ろで見ながら、世代に共通な悩みや喜びは、国の如何を問わず同じものだなと、しみじみ思いしらされていた。寅さん映画の永遠性をここ運城で意を強くした。山田監督にも知らせたいとしきりに思った。

余談として、小生は都内での各赴任先の学校職場で、勝手に「寅さんファンクラブ○○小学校支部」を立ち上げ、その会長におさまって松竹宣伝部とタイアップし、格安にしてもらった鑑賞券を扱って、夏（盆）、冬（暮）の時期に同僚たちに楽しんでいただいた。

浴衣事前講習会

様々に工夫を重ねた授業の中で、もっとも学生が日本文化に興味を示したものの一つに浴衣があった。浴衣を授業に使用できないかと考え、日本に一時帰国の夏、ふと思いついたのだった。

ご近所に和服講師の方がお住まいだったので協力してもらい、和服の分厚い専門雑誌を拝借して、せめて浴衣だけでもと4着分を購入して日本から持参したのだった。

なにしろ、2クラス80名近い1年生に試着させるには、大変な時間がかかる。そこで思いついたのが事前講習会だった。ようやく立夏も過ぎた5月、労働節休暇の後に講習会を計画した。

あらかじめ1クラス2人ずつ、4グループの8人を決め、彼女たちが授業本番の時、クラスメートに試着させる役なのだ。私の宿舎に日曜日の午後集まり、

大成功した浴衣講習会。文化伝達の重要さは世界共通

妻の指導のもと、みっちり着付けを習得してもらった。およそ3時間のうちに理解も早く、帰る頃には自信をのぞかせる笑顔も見せたほどだった。

こうした事前学習を経て、いよいよ授業当日を迎える。学生たちには事前に試着時の注意をし、上衣は必ずTシャツとした。

クラスを4グループに分け、事前講習会参加者をリーダーにして試着が始まる。90分間で全員の試着は時間が心配だったが、杞憂に過ぎなかった。彼らの理解力、想像力は大変すばらしかった。

試着中、ほかのクラスメートの携帯カメラはあちこちで活躍し、記念写真にてんやわんやだった。その熱狂する光景を目の当たりして、こちらも準備してきた甲斐あるものだと納得した。

この授業では、90分間ずっと行なっていたので、途中休憩する他クラスの学生が教室前の廊下を通りかかり、一種もの珍しく、飛び入りで教室にはいってくるお茶目な生徒もいた。

浴衣講習の授業は、そのあとも毎年新1年生のカリキュラムに「日本事情」として組み入れた。もっとも、2012年夏をもっての帰国により、これら浴衣一式は学校に寄贈してきた。

親衛隊がやって来る

赴任後、しばらくは学校提供の民間マンションに住んでいた。ごく普通の日本でも見かける集合住宅だ。6階建てで、決まってエレベーターはない。これは中国のどこでも見かけるもので、6階までは設置義務がないということだった。

私はその2階にあてがわれた。2LDKで、独り住まいには十分だった（先のニュージーランド人は、ホームシック症状ですでに帰国していた）。日本でほとんど部屋の掃除をしたことがない私にとっては広すぎる。そんなことを教室で呟いたら、学生たちがこぞって「私たちが行きます」と言ってくれた。まさに天の声だった。それだけでありがたかった。

さて、早速その週末、彼女たちはゾロゾロと連れだって来てくれた。そのやり方も実に手際よく、さくさくと部屋の隅々までもれなきように掃除してくれた。あらかじめ、自分たちで役どころを分担し、バケツで水汲みの生徒、ひた

感謝、感謝、感謝（白丸が暖房施設）

すらホウキ掃きの生徒、窓ふきの生徒。私の指示を待つまでもなく、実に手慣れている。やはり日頃、寮生活で清掃しているので、なんの迷いもなくやりとげられるのだろうと容易に推測できた。

その間、およそ20分ほど。私は私でそうした仕事ぶりをただ茫然と見つめていたり、玄関マットを外に持ち出してはたきをかける程度であった。彼女たちは故郷の部屋を清掃している気分なのかもしれない。

キレイさっぱりとした部屋。こうした隔週のクリーン清掃は学期中、入れかわり立ちかわりきちんと通ってやってくれた。

太巻き寿司誕生

日本及び日本文化に興味を抱く日本語専攻の学生に、どのように、なにを伝えようかと思いあぐねた末に、食べ物を通して伝えようと思い至ったのが、寿司とカレーライスだった。内陸の運城には、魚は種類が限られていた。反面、肉の種類は豊富だった。問題はどこで寿司をつくるか?

妻と相談のうえ、寿司もどきでも学生に伝えていこうと、工夫に工夫を凝らしてつくることができた。なにしろ新鮮な魚が皆無なので、地元のスーパーにあるものをネタにした。それは曰く、太巻き寿司である。ネタは人参、きゅうり、卵焼き、地産物としての牛肉しぐれ、それに日本から持参のかんぴょう、デンブ、ノリは現地調達だ。当日は、体験調理にやって来た学生たちでワイワイ、ガヤガヤとただでさえ狭いお勝手のかまびすさ。2、3時間は瞬く間に過ぎて、講師役の妻の指導宜しく、太巻き寿司は立派に完成し、みな満足そうにほうばっていた。

街頭市場点景

中国ではどこへ行ってもストリート(道幅30メートル程度の街路沿い)にマーケットが形づくられていた。日本のイメージでは、スーパーマーケットが大通りに面して露店で店開きしているようなものだった。ただ、そうした露店でも日本と決定的な違いは、どの店もほとんどが量り売りということだった。1斤(500グラム)あたりいくらというものだった。野菜、肉、果物をはじめ、食材はすべて量り売りだった。だから、どの店にも台秤(はかり)が常備されている。中には古典的とも思える竿ばかりで営業している店もあった。私の家から歩いて5分ほどのところに、毎朝そうした市場が開設されていた。

概して旬の果物は、ことのほか新鮮で価格も安かった。ブドウやスイカは言うに及ばず、モモ、カキ、ナシ、リンゴ、ライチ、マンゴーなど手頃だった。また中国ならではの南方果物も並んでいた。値段は日本と比べて驚くほどの安さだった。

しかし、そうしたものの中でも味覚として閉口せざるを得ないものもあった。例えばイチゴ。日本のイメージでは甘さがセールスポイントのはずだが、全然甘さがなかった。市場以外でも自転車の荷台の横にかごを括り付けたイチゴ売りの人もよく見かけ、試しにいく度か買ってみたのだが、どれも甘くないイチゴばかりだった。これはトウモロコシも同じ事情だった。甘さを期待しても、一つとしてうまいと思ったトウモロコシに当たったことはなかった。甘さ皆無のトウモロコシの実に、甘さを加味して焦がしたようなものを学生から故郷のみやげとしてもらったことがあったが。これらとは別に、ポップコーンは子ども向けに売られていた。

また、好物のスイカには格別の思いがあった。夏の到来を予告するかのように5月を迎えると、市内の通りには荷台にこぼれ落ちるほどスイカがつまれたオート三輪車が横づけになる。運城あたりでは隣接の河南省や以南の地方からスイカ売を売りにくる人が多かった。大きさ、形は様々で選ぶのに迷ってしま

中国人は世界一のスイカ好き。ピエンイーシェ！

うほどだった。2、3個適当に選び出し荷台の台秤に乗せ、商売人との折衝にはいる。決して彼らの言い値にのらない。値切るのもおもしろい。

「ピエンイーシェ（少しまけて）」

といった言葉もすぐ覚えた。

こういったやりとりが楽しい。

商売人との間でこうして問答して買うことが常だった。こうした習慣はしっかり身に着けてしまったらしく、日本へ帰ってからもこの習慣はしばらく抜けなくて困った。

こうした量り売りの形態は、市内のスーパーマーケットの野菜売り場でも同じだった。ほしいものを持って売り場の値付けどころに並んだ。しかし列をつくって順番を待つ習性が乱れた。よそ見などしてちょっとでも油断していると、後ろの人に追い越されてしまうのだ。常に後ろの人の動静に気を配り、横入りさせないように気を配ることは気が気ではなかった。

そのストリート市場の品物は安く、少し鮮度が劣り、スーパーマーケットは鮮度もよく値が少し張った。肉だけはいくら高いと感じてもスーパーマーケットの清潔そうなものを買った。街頭での肉にはよくハエが止まっていて、店主もはたきを手にして追い払っていた。こうした光景は忘れがたい。

こうして毎日市場通いをしていると、自ずと面識を得て親しくなった人もいる。黙っていても付録（おまけ）を混ぜてくれるようになるのだ。よく香菜（ミヤンリアイ）（パクチー）を一握りいただいて帰った。実のところ、妻は香菜が大の苦手だった。

朝、市民が立ち寄る青空飯店。20元でお腹いっぱい

【コラム④】「チーハン　ラーマ？」

運城で生活を始めたばかりの頃、地域の人がすれ違いざまに、

「チーハン　ラーマ？（朝飯食べた？）」

と、親しげに話しかけてきた。

初めは、なんとおせっかいなことと怪訝に思った。

その後、そうしたことがこの町の人々の日常会話であることがわかってきた。つまり習わし・習慣なのだ。逆に考えれば、転入間もない私でも違和感なく地域住民に受け入れられた、

という境地にいたったのである。

そう勝手に理解した私は、以後自分からポジティブ思考するように決めた。異国に長期滞在するための知恵を獲得できたように思った。

それからは、早朝の外出が楽しくなった。近くの街頭市場へのショッピングも楽しく、知人を探して声を掛けることもすすんでするようにした。顔見知りにそうした声掛けされると決まって「チーラ、チーラ（済ませたよ）」と答えるようにした。

その後、この〝教訓〟は、日本へ留学する学生への留学心得にも活用した。日本へ行ったら、ご近所の日本人にはすすんで挨拶をしなさいと話すようにした。

いつかは修理します。待っていてください

勤務先の学校からあてがわれた宿舎は、キャンパス内の一角に古色蒼然と建っていた。築で言えば、20年は経っているだろうと思われた。レンガづくりの2階建てで、私はその1階で4年を過ごした。かなり古いつくりなので内壁は落ち、勝手の水回りも決してよい方ではなかった。停電も時折あって、およそ快適さとは程遠い職員寮生活であった。

それだけ古いと、部屋のあちこちの修理が必要となってくる。白塗りの壁がはがれ落ちてくる。トイレの排水溝が詰まってしまう。こうした苦情はすぐ外国人担当の同僚女教師へ電話をする。すると笑い声交じりでいつも判を押したように、

「修理の人に連絡します。先生は待っていてください。いつかは修理の人がお宅に行きます。待っていてください」

生活の利便さを追求するあまり、私たちは性急すぎるのだろうか、と自己反省する時もあったが、それでもである。

修理の人がやって来る時間帯も実に大雑把だった。午前も午後もない。

「明日行きます。部屋で待っていてください」

時間に対する、おおらかな対応は生活全般にわたって同じだった。中国滞在中、時間に対するのん気さには、付き合いきれない経験をたくさん味わった。例えば、クラスの行事でピクニックを計画し、9時に正門前集合と指示していたが、学生の理解では9時起床、あるいは寮を出る時刻となってしまうのだ。本当に時間にはルーズであった。まさに悠久である。

レンガづくりの風情ある宿舎の入口

運城交通事情あれこれ

7年間の勤務の中で、6年間は自転車通勤だった。だから、それだけに自転車に愛着もあった。学校側は不足のないようにと、数度に及ぶ自転車泥棒に遭うたびにいつも新車（時に中古車）を用意してくれた。

通勤は宿舎から東のキャンパスまで15分ほどだった。学校までの到着の間に授業の枕（まくら）を考えた。主に季節や身辺に関することだった。私の目を通して日本人の見方、感じ方などを率直に学生に話すことをこころがけた。

さて、自転車での市内への往来には限度がある。市内中心部への買い物やぶらつきには、やはり路線バスや急ぐ場合にはタクシーだ。バスは1元、タクシー初乗りは5元（その頃1元は16円ほど）だった。やはり物価面では暮らしやすい街だった。

宿舎の表と裏を路線バスが5分おきくらいに走っている。なにしろ、どこへ行っても人、人、人なのだ。当たり前だが、5分おきのバスでも朝夕の時間帯はバスは超満杯。よくもこんなに移動するなあと感心しきり。でも、60歳過ぎの私には心配ご無用。どんなに混んだバスでも、ひとたび乗り込むと車内のお客さんは、私の頭髪の色具合を見て席をゆずってくれる。お客が気付かずにいると、車掌が采配してくれて、

「ほら、あんた、この老人に席をゆずって」

といった調子で客の襟をつまんで、私に席をくれるのだ。これには心底恐縮だった。指名された若いお客もだまって席を立ってくれた。

こうした経験は、中国滞在中よく経験したものだった。こんな希少な経験も授業の枕に話したものだった。これも運城という未知の地方都市に、連綿と生き続けている孔子の国の美徳かもしれないとしみじみ思った。

眼科医院診察記

同行の妻が秋口、目（ものもらい）を病んで市内の眼科へ行くことになった。妻は自費滞在だったので、私は同僚の先生に連絡して診察先を聞いてみた。同僚は眼科医院に知人がいるとかで、早速その週のうちに診察に行った。場所は市内の中心部にあり、同僚は自分の車で連れて行ってくれた。異国にあって、こういう時ほどありがたさを強く感じるものはなかった。

眼科医院は3階建ての建物だった。1階は受付、診察室は2、3階のようだった。さして広くない屋内には、朝から人だかりの様相だった。この国では至るところ人だかりだ。そう感心していると、同僚が素早く受付を済ませてくれて、人ごみをかき分けて2階の診察室へ上がった。そこも外来患者であふれていた。

長い廊下でしばらく待っていると、同僚が診察室から出きて招き入れてくれた。中にはいってからの光景は、日本の診察室とは大ちがいだった。部屋の中央にある大きな机を前にして、たくさんの人が一人の女医さんを囲み、しかも女医さんがおよそ診察中とは思えない形相で周囲の人々と論争しているのだった。机上にはカルテが並べられており、診察の順番などお構いなしに右を向いたり左を向いたりして口論していた。その混雑振りの様子は、ただただこの国の医療現場の無秩序ぶりをさらしているように見えた。

やがて、同僚はなにかツテをつかったらしく、1階から戻って来てくれて、「すぐ診察を受けていいよ」と言ってくれた。そこで妻も私も意を強く決して、目の前の人だかりをかき分けていった。そして厳格そうな女医さんの前へ進み出て、やっと診察を受けることができた。やれやれ……。もっとも、通院は1回では済まず後日も続いたが、その時は中国の病院事情（ツテを最大に活かすこと）も理解できていたのでスムーズにできた。

それにしても、どうしてこの国では列をつくることどころか、順番が待てないのだろうか。診察する先生も混乱しないのだろうか？

私はその時、聖徳太子の故事を思い出していた。太子は一度にたくさんの人の話を聞き分けたということだ。中国のお医者さんは聖徳太子のような方だなあと思った次第である。

思ったより治療費が少なかったことを思い出した。窓口で30元、薬代は10元で済んだ。滞在中、通院事情に皆無で幸いだった。一度だけ、冬に風邪症状で近くの医院へ通ったが、20元位だったと思う。招へいという立場の制度として学校持ちだったのかもしれない。

公寓の桜

異国にあっても、4月を迎えるとやはり日本の桜が恋しくなる。いや、いっそう叶わぬことへの思いが募ってその気持ちは高鳴る。インターネットで「高遠の桜が開花」「桜前線北上」のニュースを見るにつけ、こちらの気もせわしくなってくることがあった。

4月も半ばになると、私の住んでるキャンパス内の桜の蕾もふくらみ、数日間の温かい日を経て一斉に開花した。学校では、「先生の家の桜はどうですか?」といった質問が増えてくる。

満開の週末にはよくお花見会をした。クラスによっては、20~30人がこぞって狭い公寓（寮）にある2本の八重の桜を見にやって来た。桜の木の周りの花の下で、学生たちは思い思いに携帯カメラで撮り合ってキャアキャア声をあげている。

公寓の桜と生徒たち（左から３番目が筆者）

本来なら、桜の木の下でゴザでも敷いて酒を飲んでといきたいが、それも叶わず。木の周りで歌を歌ったりしてすごした。古歌『さくら』はもっともポピュラーで、教室でも授業の終盤で歌った。持参したハーモニカで伴奏もした。

キャンパスにも一か所、桜の木があった。男子寮の前の空き地に公寓のそれよりやや細めの木であった。そちらにはよく夕食後、妻と散歩した。夜桜見物のシャレと決め込んだが、こちらもたがわず八重なので、やはりソメイヨシノとは比べられそうにもなかった。興趣が一向にわかなかった。

親切心とネズミ騒動

ネズミの害については、もう日本ではほとんどお目にかからないほどになっている。私の子どもの頃は、どの家屋にもネズミはいたものだが、それはもう寓話でしかないだろう。しかし、ここ運城では２０１０年頃の実話なのだ。

妻が恐る恐る私に話しかけてきた。夜、勝手口の排水孔やふろ場、トイレあたりにごそごそと音がするという。

「どうもネズミがいるらしい」

ある冬の晩。風呂場から妻の嬌声（きょうせい）が聞こえてきた。妻が指さす方を見ると、側壁の天井近くにじっと動かないネズミが目にはいった。その時は打つ手なく、奥へ逃げられてしまった。

翌日、出勤して早速、同僚に昨晩のネズミ騒動を話した。すると、すぐに動いてくれたのだった。

まず、猫を飼っている知人に電話をしてくれた。いきなり「猫を山口さんに貸してあげてくれないか、ネズミ捕りのために」となった。

この国の人の対応のスローぶりに慣れっこになっていた私たちは、その素早さに驚いた。飼い猫の派遣を思いついてくれた同僚には、重ね重ね友情的礼意をささげつつ、

「すみません、猫を貸していただいても一日中猫を置くわけにもいかないし、猫だって知らない家ではかえって落ち着かず、本来のネズミ捕りどころではないのでは」

と伝えて、体よく断ることにした。ここでも中国の同僚の親切心には内心、感心した。

次の日、校内の商店に寄って、ネズミ捕りを購入した。それは日本流に言えば、ハエ取り紙のネズミ取り版であった。強力そうな30センチ四方の紙製で、両手で左右に開くと立派なネズミ捕りになった（1枚1元）。ネズミ捕りの中央に人参の切れ端を置き、台所の通路に設置して、その夜はいつもより早く10時に

は寝た。

さて翌朝。6時頃に台所に行ってみると、見事にやや太めのネズミがいるではないか。体長10センチほど俎上のコイよろしく横たわっていた。近寄って目を凝らすと、まだ息をしていた。目もしばたいている。この野郎！ と私の気持ちは一気に目覚め、にっくき、こやつめと。

それを二つ折にして地面に置き、鬼のように左足でそれを一気に踏みつけた。すると微かにキューと終(つい)の声がした。さらに2度3度と踏みつけて、グーの音もでないようにして、寮を出て50メートルほど先のゴミ捨て場に投げ入れた。この騒動以後は、妻も私も台所やふろ場に安心して立ち入った次第である。

太極拳の李生林先生

李生林（ションリン）先生は、運城学院の中文系（中国文学の学部）の資料室の主任である。彼は勤務先で毎日資料を借りに来る学生の応対に忙しくしている。特に午前中の10時半前後、資料室内は若い熱気でムンムンしている。私は時々、授業の休憩時に彼のところに顔を出したものだ。たくさんの学生の中にあって、自分の学生時代を追憶できるのもまた楽しいものだった。もっとも、そのセクションは時々珍しく閑散としている日もあり、そんな時は李先生がお茶を入れてくれたこともあった。

さて、そうした日常の顔をお持ちの李先生は、実は私の妻の太極拳の先生でもあった。毎週土曜日の午後の1時間、彼は熱心に教えに来てくださった。

李先生は運城市内でも指折りの太極拳の先生で、その名は師範級で通っていた。運城市内で行なわれる隔年毎のコンテストでは度々入賞されてるらしい。

また、明朗な性格で仲間内ではいつも言葉にぎにぎしくされていた。練習の終わりには決まって日本語で「ア・リ・ガ・ト」「サ・ヨ・ナ・ラ」と言ってから帰って行かれた。

いつか先生夫妻も交えて、学生たちと夕食交流会を私の部屋で開いたことがあった。私たちはこうした時、いつもの十八番の料理、太巻き寿司を用意した。学生たちも望外の料理におおいに喜んでくれた。先生の奥さんもくつろいで、ソファーにあぐらをかきながら手拍子を打ったり、歌い始めたのだった。中国の民謡のようでもあり、流行歌のようでもあった。手拍子を打つ誰もが喜々として、本当に心からくつろげた一夜の小宴であった。

その後、妻の太極拳の腕前は次第に上達し、帰国後には地域のサークル活動に参加し、大いに楽しんでいる。

李先生には、感謝してもしきれないほどである。謝々　李先生！

【コラム⑤】 私の宝物（山口照子）

ここでは、妻・照子の文章を読んでいただきたいと思う。

夫の赴任地中国で何か覚えてきたいと思い実際に行ってみると、朝、公園や広場では日本のラジオ体操のように太極拳をやっている人が多数いた。そこで、私は歩いて5分位の夫の勤務先の大学構内で行なわれていた太極拳のグループに入れてもらった。

そこでは、毎朝6時頃から10人くらいの仲間と太極拳を30分位するのが日課。雨の日以外、暑くても寒くても毎日。メンバーは、ほとんど大学関係者。勤務している人もいたが、年配の人が多い。

参加した当時、中国人もシャイなのか話しかけられることはなかった。日

妻・照子（左）と李先生。集中すると時間経過が早い

数が経ち、だんだん慣れてくると名前は？　何歳？　国は？　等々と色々と聞かれたり、仲間が自分のことを早口でしゃべり、チンプンカンプンな返答に皆大笑いになったが、笑ってごまかしていた。

キャンパス内には、外国人講師でアメリカ人、カナダ人、オーストラリア人等がいたが、その中で太極拳を習いたいというのは日本人の私くらいだった。

毎朝の活動は、数種類の太極拳を一通り行なって終了。私は集団の後方で見よう見真似でやっていた。終了後に質問すると、ああだ、こうだと皆親切に教えてくれた。ただ初心者の私は一向に覚えられなかった。夫は「そのうち覚えられるよ」と言っていたが、個人授業をお願いすることにした。

先生は、李生林老師。朝の太極拳のメンバーの一人である。毎週土曜日の午後、自宅の庭先で、基本から繰り返し指導してもらった。先生はいつも熱心に片言英語を交え楽しく教えてくれた。李先生には帰国の時まで個人レッスンを続けてもらっていた。朝は毎朝グループで、土曜日の午後は個人レッスンで太極拳をやっていたことになる。だんだん覚えてくると毎朝太極拳にいくのも楽しくなった。その後、キャンパス内のグループを離れて、指導の有資格者が何人かいるというグループに参加することにした

そこには老若男女、大人数がいた。上手な人もたくさんいて、気軽に教えてくれるところがよかった。活動の場所は自宅から自転車で10分くらいの大きな公園であった。

毎朝、三々五々集まり、通りがかりの人や近隣住民などやりたい人はどうぞという感じで和気相合いにやっていた。このサークルの会長さんは元婦人警官でさっぱりした性格。いつも声掛けしてくれたり色々と気をつかってくれ、またメンバーも皆親切だった。

それと、おもしろいなと思ったのが、表演服（主に大会、表演会などで着る衣服）の注文の仕方。洋服屋さんが公園に来て採寸し、後日公園に届けてくれる。とても便利でかんたんにできて感心！　私もその都度、春秋用、夏用、冬用といつの間にか数着たのんでしまっていた。日本円にすると値段は高くない。練習では着るものはなんでもよかった。

たくさんの思い出の中でも、運城市で開かれた太極拳の大会に出場したことは忘れがたい。この大会は隔年で開催していた。近隣の村の人がバスを仕立て、中には泊りがけで来ている人たちもいた。会期は二日間。出場者数、会場とも規模の大きなものだ。大会は個人種目、団体種目があった。太極拳、太極剣（揚式、陳式その他）棒術があったりで多彩である。集団演技は生演奏をバックに演技したり、様々なフォーメーションを駆使したり、煌びやか表演服のチームがあったりと、どのチームも工夫を凝らして個性的。その圧倒的な見応えに「さすが、本場中国」すばらしいと感動した。

ちなみに私と夫は個人種目の24式揚式太極拳で出場した。学生に通訳をたのんではいたものの、演技の初めと終わりどうするの？　わからないことが多く、表演よりも緊張した。表演直後に地元のテレビ局の取材を受けた。大会後に皆で打ち上げを兼ねた食事会をしたが、これまた大盛り上がりでとても楽しかった。その後、朝、太極拳に行くと「テレビ出てたね」「地元の新聞にのってたよ」と言われ驚いた。よっぽど外国人の出場がめずらしかったのだろう。当時の我が家はテレビがこわれ、新聞もなかったため見られなくて残念だった。

夫の仕事の任期で帰国することになった時、太極拳の仲間は最後の練習で、友好の意味を書いた掛け軸を記念に贈ってくれた。思いもかけなかったこと

かけがえのない思い出。中国に行ってよかった

でとても感激した。そして、皆で記念写真を撮り、別れがたくもさよならをした。

李先生には太極拳だけでなく、饅頭のつくり方を教えに来てもらったり、表演会を見に連れて行ってもらったり、色々と親切にしてもらい、ひとかたならぬお世話になり心から感謝している。今でも興味深く太極拳を続けられているのは、李先生のおかげだとしみじみ思っている。

太極拳を通じ、李先生をはじめ、たくさんの人々と知り合い、生活や考えに触れ、すばらしさを再認識した。この中国での体験は真に私の宝物である。

再会を願って

運城での7年間の生活で、公私にわたりもっともお世話になったのは、呉琳(ウリン)愛(アイ)先生であった。

運城に赴任して2年目、知り合いになった当初は、先生が銀海外語学校の上部である運城学院・教務課（処）にお勤めされていた頃だった。

教務課では各学部の教学内容について指示を出したり、書類をまとめたりしていた。呉先生と同僚として接するようになったのは、2008年9月、私が正式に運城学院外語系（外国語学部）の日本語担当となってからである。

呉先生は以前に石川県にある小松短期大学に留学されたことがあった。留学を終えて運城に戻られてから、大学の英語教学部というセクションにはいられた。日本流に言えば、全学年共通の英語教育推進の部署と言える。教学面では私とは直接つながりがないセクションだが、日本語で交流できるということで、私は度々、呉先生のオフィスに行き、お茶をごちそうになりながら雑談にふけったりしていた。また、私の教室に来て、日本留学の体験談を中国語と日本語交じりで存分に話していただいたりした。学生たちの学習意欲の喚起にご協力いただけたのではと思っている。

こうした仕事上の交流以上に、私は呉先生宅にしばしばお邪魔して、先生のご家族と知り合いになれたこともうれしい収穫の一つとなった。

呉先生には丈夫（チャンフー）（旦那さん）と一粒種の娘さん（テンちゃん）がいた。丈夫は運城市の農業局の主任を務め、長身でなかなかの男前だ。家から仕事場までは、徒歩わずか2、3分。ご家族の住まいは、農業局の公務員宿舎なのだ。農業局も宿舎も敷地内にあった。中国の職住接近の典型である。彼は仕事上、運城市農業の発展のために市内は及ばず、山西省内外へも度々出張していると、呉先生からよくそのようなことをお聞きしたものだ。

そして、たまの日曜日、私たちにも声をかけてくださった。

「山口先生！　明日、私の家で肉まんじゅうをつくりませんか？」

「餃子をつくって一緒に食べませんか？」

私たちに異論などあろうはずもなく、そうした交流行事はさっそく翌日に実行された。妻ともども伺い、肉饅頭や餃子を一緒につくりながらの会話はこの上なく楽しく、有意義なひと時であった。高校生のテンちゃんも週末には学校の寮から帰って輪にはいることもあった。

テンちゃんも高校卒業後、天津外語学院から日本の三重大学に進み、日本語学習を視野に入れてがんばっているとのことだ。その後、現在の彼女は筑波大学の大学院で学びを深めている。

ふっくらと湯気立った肉まんじゅうや餃子を口に入れる時、旦那さんが決まってとっておきのワインを用意してくださった。呉先生のご家族一家との親しい交流は、あの頃の恩を懐かしく思い出させる。

「カンペイ、カンペイ」という声が、今も脳裏をよぎってならない。叶うならば、もう一度、今度は日本の我が家で、呉先生と再会して大歓迎したいと、心からそう思っている。

教え子の結婚式

２００５年から7年間お世話になった運城学院。その時の教え子であったSさんから結婚式への招請をいただき、妻とともに式場がある山西省臨汾市へ向かったのは4月15日のことだった。８泊9日の旅ということもあり、ことのついでに山西省内のかつての学生たちも久しぶりに尋ねることにした。日本では桜の開花があちこちのニュースとなっている頃であった。

北京・太原と新幹線、長距離バスを乗り継いで目的の結婚式会場の臨汾市に入ったのは17日の午後だった。宿泊先はすでに予約をしておいてくれた瀟洒なホテル。チェックインを済ませて部屋で休んでいるところへ、今回の主役のご両人はじめ、双方の親戚方が大勢やってきて挨拶を交わした。その数40～50人といったろことだ。むろん、ほとんどの方は初対面である。笑顔の握手握手でニーハオなど言葉は不要だった。

以前に山西省河津市にある新婦のSさん宅に妻とお邪魔したことがあったので、お母さんと伯父さんとは久しぶりの再会であった。

「好久不見了！（オヒサシブリデス！　オゲンキデシタカ？）」

挨拶もほどほどに休む間もなく夕刻には老公（新郎）の家付近で近所の人たちを招いての小宴会場へ行った。臨汾市は新郎の故郷だったのだ。

会場の集合住宅の広場の一角には大きなテントが張られ、すでに時遅しとたくさんの人たちがテーブルを囲み、箸を構えてお待ちかねの風情であった。私たちはすみませんと思いながらそそくさと席に着いた。

その着席を待っていたかのように早速、司会者が開宴の弁を述べている。どうも、日本から来た私たちのことや新婦のSさんのことをお披露目しているようだった。

目の前には豪華な手作り料理がテーブル狭しと並べられている。開宴後20分もすると、周囲の人たちはすごすごと帰宅していった。すぐにみなさんは満腹になったのか少し気になったが、白酒は相変わらずうまい。「カンペイ、カンペイ」という言葉がとどまることを知らなかった。

翌日、肝心の結婚式はというと、私たちが宿泊していたホテルとはちがった場所だった。披露宴にはSさんの友人たちも来ており、私の教え子もいた。私は請われて在学中の生徒たちのことを紹介した。その際、同席した教え子に急遽通訳のお願いをしたのは論を持たなかったが……。

式は概ね日本のそれと大同小異だが、何事も過大なお国柄ゆえ、それはそれは庶民の祝儀とは思えぬほど超豪華だった。

女手一つでSさんを育てた母親が式の最中、そっと目頭をぬぐっていた姿が印象的だった。

その後、運城市内の教え子の宋家源君宅、西安在住の日本語教師のS先生宅を回って数え切れぬ思い出を刻んで帰国した。

ボタンの香りに誘われて

毎年4月～5月にかけて、河南省の省都・洛陽市では、ボタン（牡丹）節が開催される。3月頃からテレビの宣伝が繰り返し繰り返し全国に放映される。おのずと気がそそられる。なにしろ、ボタンは中国の人の愛してやまない国花なのだから。

日本人がちょうど桜に意気を感じることと同じくらい、中国の人たちは親しみを持っている。掛け軸にも度々描かれていることからもうかがいしれる。大きな花柄は中国の人の壮大さ、大胆さを表現しているのだろうと思われる。なにしろ大きいことも人気の理由なのだろう。話し声も大き方がいいのだろうと、勝手に推測する。

さる年の4月末。テレビコマーシャルに誘われて、妻と洛陽に出かけた。長距離バスで片道5時間くらいだった。

満開のボタンに思わず笑みがこぼれる妻

洛陽市内にはいると、至るところにボタンが花開き、まさに百花繚乱の体。中でも規模の大きな王城公園内は人だかりであった。

園内を回遊し、ボタンの香りを存分にかぎながら春の一日を楽しんだ。園内で絵筆をふるう人など、思い思いにこの季節を満足して過ごしている人や市民を見ていると、こちらまで心が和んできた。

また洛陽の郊外には、中国三大石窟の一翼、世界遺産である竜門石窟や仏教遺跡の白馬寺もあり、そうしたところはいつも大人気で

人生でこれほどのボタンに囲まれる経験は想像できなかった

ある。また、古都である洛陽には、「洛陽の紙価を高める」という古来からの故事（慣用句で、評判がよい、売れ行きがよいの意味合い）がある。

中国革命の聖地、延安へ

２０１１年の夏、同僚の程(テイ)先生とかねてより計画していた延安(エンアン)へ向かった。西安(シーアン)で1泊して、翌日に延安への長距離バスに身を任せた。

西安から北上して、数時間の車中からの眺めは荒涼とした山々の続きだった。なにしろ、延安が中国近代史でもっとも精彩を放ったのは１９３７年、長征して辿り着いた中国共産党がここ延安に１９４７年まで中央委員会を置いていた時であろう。着いた時の軍はわずかな数の兵士だったという。ここに本拠を構え、抗日戦争の指令を発したという、いわくを有した地だ。

私たちはそこに2泊した。なにしろ飛び込みの宿泊だったので、チェックインには苦労した。同行の程先生が中国公民証の携行を忘れてきてしまったのだ。身分が証明されないとこの国では様々に困難がつきまとうらしい。つまり、公民証は国民として唯一の証明書となっている。

彼は少し青ざめた表情で2、3のホテルに宿泊交渉していたが、どこもダメだった。半ば西安へ戻ることを思い始めたが、最後の切り札として、私のパスポートを示して宿泊しようとした。しかし、窮余の策も延安では外国人の規制があって、OKがでなかった。私たちは気持ちもますます落ち込み、残りの5、6軒を手あたり次第訪ねてみた。きわめて特例らしく、泊まれるホテルがようやく見つかった。こういう時は宿の良し悪しは論外だ。

翌日は、棗(ナツメ)園をはじめ、市内に点在する革命遺跡を巡ったりした。たくさんの人がおり、革命教育基地として歴史学習の場所となっていることがよく理解できた。

夜、街路の往来で名物の羊肉の串焼きを食べた。その店には客の食べ残しを手持ちのお椀片手に拾い集める初老の人の姿も見かけた。この国の生活の落差を感じ、暗然とさせられた革命聖地、延安への旅であった。

未明の星明り

あれは忘れもしない、銀海外語学校の同僚の家に妻と遊びに行った夜のできごとだった。

運城市内から北東の方向へバスで数時間、途中で乗り換え、山西省垣曲県（カキキョクケン）にある極めて奥深い純農村地帯に着いた。周囲は農民の家続きで、決して豊かさのかけらも伺いしれない貧しそうな農村に見えた。その一角に同僚の家はあった。

バス停まで同僚が迎えに来てくれたのだが、恐ろしく奥まった土地なので、着いたばかりにもかかわらず、すでに帰りのことが心配になっていた。

同僚の父母に挨拶を済ませてから、日があるうちにと唐辛子を採りに畑に行った。広い畑にはいって、根こそぎ唐辛子を引き抜いた。素手で作業したので、両手が赤くなってしまった。しばらくして、暗い電灯の下で夕食が始まった。

写真ではわかりづらいが、真っ赤に染まる唐辛子畑

晩御飯の子細の記憶はないが、すいとんのようなものがあったことだけは覚えている。

さて、その晩は少し早めに床に入った。母屋から離れてあてがわれたのは別室だった。異郷ゆえ、なかなか寝付かれなかったが、バス旅での疲れもあってか、いつの間にか深い眠りについていた。真夜中、私は外の明るさで目が覚めた。たぶん深夜の2時か3時頃だったのだろう。私はトイレに立つべく庭に出た。

あたり一面、月明かりに照らされて昼のようではないか。夜空は星屑に満たされている。これまで見たことのない真夜中の光景に信じられない思いだった。「ほ・し・く・ず」ってこのことなんだなと、その時の体験はずっと記憶に生き続けている。

この垣曲県での一夜の貴重な体験は終生忘れないであろう。大都会東京の明かりに囲まれた私には、あの夜のあの光景は……。

中国の標語紹介

私は仕事の傍ら、週末によくワンナイト旅行を楽しんだ。山西省くまなしといってもいいいくらいである。そうした途次、漢字の標語に注目してメモをとっていた。その中から、いくつか紹介したいと思う。

車到山前、必有路

※困難に遭遇しても、打開策はあるものだ

飲水思源

※コトの本質に目を向けよ

誨人不倦

※人を教えることに熱心である

計划赶不上変化

※予定には変更がつきものだ

さて、いかがだろうか。

漢字にはそれぞれ固有の意味がある。それを漢和辞典でひもとくことも楽しみである。

学生時代、多くの友人はこぞって、フランス語やドイツ語を第二外国語として選択した。奇しくも、私は中国語を選択していた。現在の地平に立つと、もっと真剣に学んでおくべきだったと反省している。最近は漢詩文に興味を抱き、中国語で漢詩を鑑賞することを楽しみにしている。土日のラジオ講座はゴールデンタイムとなっている。

おわりに（未来に生きる孫たちに）

思えば、コロナ騒動の二〇二〇年六月、外出にも事欠き、いかにしてこの時期をやり過ごそうやとあぐねていた時、以前からの宿題がふつふつと脳裏に持ち上がってきた。晴耕雨読の日々に中国山西省運城学院で過ごした七年間の思い出のいくばくかをまとめておくことを実行することにした。

間もなく七四歳を迎えようとしている現在、一〇年以上も前の記憶をたよりにまとめることは、そうかんたんではなかった。何より、私がそうであったように、自分の父から一九三〇年代の日本と中国のありようを何一つ聞かされずに冥界にいくのもどうしたものか。

私には現在、中学生の孫がいる。その子に〝日本中国の友好に心血を注いだじいちゃんの人生をせめて知らせてから往きたいものだ〟これこそが、おこがましくも、ささやかな執筆の動機であった。

知識就是力量（知識こそ力）、日本流では知は力という言葉がある。中国山西省運城市へ赴任した運城学院（大学）の大きな八階建てのキャンパスの壁面に吊るされていたこの言葉は、学校としてのスローガンなのだろう。日本でも見聞きした文言ではあった。尊敬してやまない文芸評論家である宮本顕治氏の著書にもあったような気がした。

さて、私が申し上げたいことは、智識は豊かに持っていた方がよい、ということである。道理をたくさん持っていた方が、権力を嵩にしてうごめいている人に騙されることなく、自由に自分らしく暮らせるということだ。私が学んだ大学では哲学を中心にしていた。哲学とはわかりやすく言えば、たくさんのことを幅広く学び、人生や生き方の指針を明確に持つということだ。

二一世紀の地球上のどの国とも信頼で結ばれ、人々が自由に往来し、諸国民がヘイトや敵視することなく、安心して暮らせることを願いつつ、最後に中国のことわざを送りたいと思う。

〝以史為鏡〟

このことわざは、中国国内では頻繁に目にしたものだ。過去の歴史を以って鏡と為す（反省する）というものである。日本流に言うと、過去に学びなさい、というものである。

二〇二一年一〇月一五日　　山口榮一

略歴

山口 榮一（やまぐち えいいち）

1947年群馬県高崎市生まれ

東洋大学文学部卒業

東京都内の公立学校教員を退職後、2005年9月より山西省運城学院に日本語教師として勤務

（歴任校）

昭島市立拝島第二小学校、東村山市立秋津東小学校、東大和市立第十小学校、東村山市立大岱小学校、東村山市立富士見小学校（退職）

この間、各地区教職員組合運動、役員を歴任する。

小さい頃からの夢であった「外国暮らし」を体験。教員の仕事は、学生と触れ合えるのことが一番の魅力（年を忘れられる）

モットーは笑顔。太極拳を猛特訓中

現在、日中友好協会所沢支部理事（支部長）など

『入郷随俗（ルーシャンスイスー）　山西省運城学院奮闘記（サンセイショウウンジョウガクインフントウキ）』

2021年10月26日　第1刷発行

著者　山口 榮一

発行　東銀座出版社

〒171-0014　東京都豊島区池袋3-51-5-B101

TEL：03-6256-8918　FAX：03-6256-8919

https://www.higasiginza.jp

印刷　創栄図書印刷株式会社